Alan Mets

la carotte géante

lutin poche de l'école des loisirs
11, rue de Sèvres, Paris 6e

C'est midi et Lapin a très faim.
Il se prépare une grande assiette
de petits pois crus.

Première édition dans la collection *lutin poche* : juin 2000

Loi numéro 49 956 du 16 juillet 1949 sur les publications
destinées à la jeunesse : octobre 1998
Dépôt légal : avril 2004
Imprimé en France par Jean-Lamour à Maxéville

« Tiens, c'est quoi ce petit pois
tout ratatiné ?
On dirait une graine de carotte ! »

« Petite graine deviendra grande carotte. »
Mais la terre est trop dure
pour les pattes des petits lapins.

Crac ! « Zut, ma bêche est cassée. »

Lapin décide d'aller voir un professionnel.
« Salut Taupe ! Tu peux me rendre un service ?
Si la carotte pousse, t'en auras un morceau. »
« O.K. taupe là ! »

Taupe creuse un trou.
Lapin plante la graine.

Au bout de quelques jours,
une carotte a poussé.
« Elle est bien rikiki, cette carotte... »

Lapin décide d'aller voir Éléphant.
« Toi qui es très intelligent,
dis-moi ce qu'il faut faire : il n'a pas plu
depuis des jours et ma carotte
a besoin d'eau. »

« Facile, avec ma trompe, je vais l'arroser… »
« C'est sympa, quand ma carotte sera grande
je t'en donnerai une part. »

Au bout de quelques jours, la carotte a grandi.
« Ah ! c'est mieux… Mais c'est pas encore ça. »

Lapin décide d'aller voir
l'autre spécialiste des carottes.
« Toi qui es un sage, tu pourrais me donner un truc
pour faire grandir les carottes ? »

« Voilà mon Lapin ! Un kilo de crottin
pour faire pousser les carottes. Et c'est du bon ! »
« Merci, t'es un pote, je te donnerai
une part de ma carotte. »

Au bout de quelques jours…
« Trop belle cette carotte ! Je crois bien
que je vais me la garder. »

Mais arracher une carotte géante,
c'est pas de la tarte.
Taupe vient à passer.
« T'as besoin d'un coup de main ? »

Et Taupe siffle dans ses doigts :
« Hé les mecs, au boulot ! »

« Géant, le pique-nique ! »
dit l'équipe.
« Bon appétit, les pique-assiette ! »
répond Lapin.